MODLITEWNIK MALUCHA

Święty Wojciech
wydawnictwo

Znak krzyża

W imię Ojca i Syna, i Ducha Świętego.
Amen.

Modlitwa poranna

W imię Ojca i Syna, i Ducha Świętego.
Amen.
Panie Jezu, dziękuję Ci za dobrą noc
i proszę Cię teraz o dobry dzień.
Bądź przy mnie przez cały czas.
Amen.

Modlitwa wieczorna

W imię Ojca...
Panie Jezu, dziękuję Ci za cały dzień.
Proszę, bądź przy mnie,
kiedy będę spać.
Amen.

Przed jedzeniem

Panie Boże, dziękuję Ci za to,
że mamy co jeść.
Dziękuję wszystkim,
którzy to jedzenie przygotowali.
Spraw, proszę, żeby inni też mieli co jeść
i żeby nikt nie był głodny.
Amen.

Po jedzeniu

Panie Jezu, dziękuję Ci,
że już nie jestem głodny.
Amen.

Za mamę i tatę

Panie Jezu, dziękuję Ci za mamę i tatę.
Proszę, opiekuj się nimi.
Pomóż im w pracy. Daj im dużo zdrowia.
I spraw, żeby zawsze byli szczęśliwi.
Amen.

Za brata i siostrę

Panie Jezu, dziękuję ci za brata i za siostrę.
Kocham ich bardzo. I oni też mnie kochają.
Panie Jezu, proszę, opiekuj się moją siostrzyczką.
Opiekuj się moim braciszkiem.
Pomóż nam być dobrymi dziećmi.
Amen.

Za babcię

Panie Boże, dziękuję Ci za moją babcię.
Babcia bardzo mnie kocha,
czyta mi książeczki i opowiada bajki.
Proszę, daj jej zdrowie i dużo sił.
Opiekuj się nią codziennie.
Amen.

Za dziadka

Panie Boże, dziękuję Ci za dziadka.
Lubię, kiedy dziadek do mnie przychodzi
i ze mną się bawi.
Proszę, daj mu dużo zdrowia i dużo sił.
Opiekuj się nim codziennie.
Amen.

Za koleżankę, kolegę

Panie Jezu, dziękuję Ci za koleżanki i kolegów.
Za to, że możemy się razem bawić.
Proszę, opiekuj się
moimi koleżankami i kolegami.
Amen.

Za bliskich

Panie Boże, proszę Cię,
pomagaj mojej mamie i mojemu tacie.
Pomagaj babci i dziadkowi – daj im dużo zdrowia.
Pomagaj wszystkim,
którzy mnie kochają i których ja kocham.
Spraw, żeby byli szczęśliwi.
Amen.

Za zmarłych

Panie Boże, proszę Cię za tych, którzy umarli.
Proszę, by poszli do nieba.
Niech mieszkają teraz bardzo blisko Ciebie.
Amen.

W drodze do przedszkola

Panie Boże,
dziękuję za nogi,
które mnie niosą do przedszkola.
Cieszę się, że spotkam tam koleżanki i kolegów.
Proszę Cię o dobry dzień.
Amen.

Modlitwa na niedzielę

Panie Jezu, dziś jest niedziela.
Pójdę z mamą i tatą do kościoła,
do Twojego domu.
Ksiądz będzie opowiadał o Tobie,
a my będziemy słuchać go i śpiewać pieśni.
Do zobaczenia!

Gdy jestem chory

Panie Jezu, jestem chory / chora.
Nie mogę bawić się z dziećmi
ani iść na spacer.
Proszę cię, pomóż mi szybko wyzdrowieć.
Obiecuję, że ja też się postaram,
będę brać lekarstwa bez marudzenia.
Proszę, bądź przy mnie blisko.
Amen.